　　从儿童的视角出发，以儿童最能接受的方式，回答他们最想知道的科学问题，内容涉及人体、动植物、自然、地理、太空等方面。既是一套科学启蒙读本，又蕴含着丰富的生命与爱的教育思想。唯美的绘画风格、生动的童话故事、有趣的科学知识、快乐的认知方式是该系列最大特色。适合3~5岁亲子共读或5岁以上儿童自主阅读。

ISBN 978-7-5536-46

9 787553 646121

Y0-ABV-978

定价：10.00 元

图书在版编目（CIP）数据

要不要一起钻进蚯蚓洞？ / （韩）安恩永著；陈爱
丽译. -- 杭州：浙江教育出版社，2016.7（2019.6重印）
（蒲公英科学绘本系列）
ISBN 978-7-5536-4612-1

Ⅰ. ①要… Ⅱ. ①安… ②陈… Ⅲ. ①科学知识—学
前教育—教学参考资料 Ⅳ. ①G613.3

中国版本图书馆CIP数据核字（2016）第149652号

지렁이굴로 들어가볼래?
Would you like to go to Earthworm's tunnels?
Text and Illustrations Copyright © 2015 by Ahn, Eun-young
Simplified Chinese translation copyright © 2016 by Zhejiang Education
Publishing House
This Simplified Chinese translation copyright arrangement with Gilbut
Children Publishing Co., Ltd.
Through Carrot Korea Agency, Seoul, KOREA
All rights reserved.
版权合同登记号　浙图字 11-2016-73

蒲公英科学绘本系列 38　PUGONGYING KEXUE HUIBEN XILIE 38

要不要一起钻进蚯蚓洞？　YAOBUYAO YIQI ZUANJIN QIUYINDONG

[韩] 安恩永 / 著　　陈爱丽 / 译

责任编辑	杜　玲	美术编辑	曾国兴
责任校对	蔡　耘	责任印务	陆　江

出版发行　浙江教育出版社
　　　　　（杭州市天目山路 40 号　邮编：310013）
激光照排　杭州兴邦电子印务有限公司
印　　刷　浙江新华印刷技术有限公司
开　　本　889mm×1194mm　1/24
成品尺寸　180mm×210mm
印　　张　$1\frac{1}{3}$
字　　数　25 000
版　　次　2016 年 7 月第 1 版
印　　次　2019 年 6 月第 4 次印刷
标准书号　ISBN 978-7-5536-4612-1
定　　价　10.00 元
联系电话　0571-85170300-80928
网　　址　www.zjeph.com

请你助它一臂之力！

把蚯蚓移到树叶上，再把树叶放到泥土上。
这样，蚯蚓就可以重新钻回地下了。

蒲公英科学绘本系列38

要不要一起钻进蚯蚓洞？

[韩]安恩永/著　陈爱丽/译

浙江教育出版社·杭州

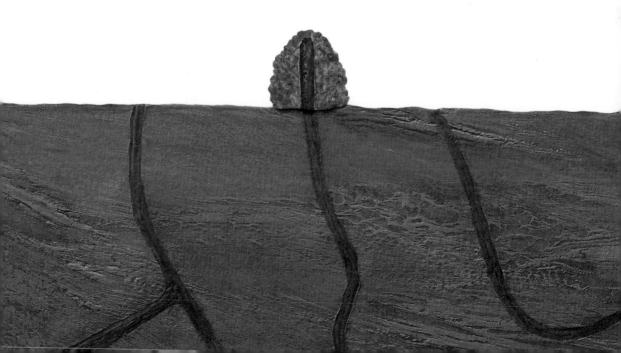

咦？这是什么呀？

哦，这是蚯蚓的大便。

蚯蚓先把自己的尾部伸出地面，然后才排出粪便。
粪便越积越多，最后变成了一座小粪堆。

蚯蚓为什么要在地面上大便呢？

5

蚯蚓生活在地下，它非常喜欢挖洞。
因为挖了洞后，它就可以在地下钻来钻去了。
这些洞可以让外面的空气进到泥土里，
如果在洞里大便的话，会堵住洞穴，
蚯蚓呼吸起来会有困难，也不能自由穿行。

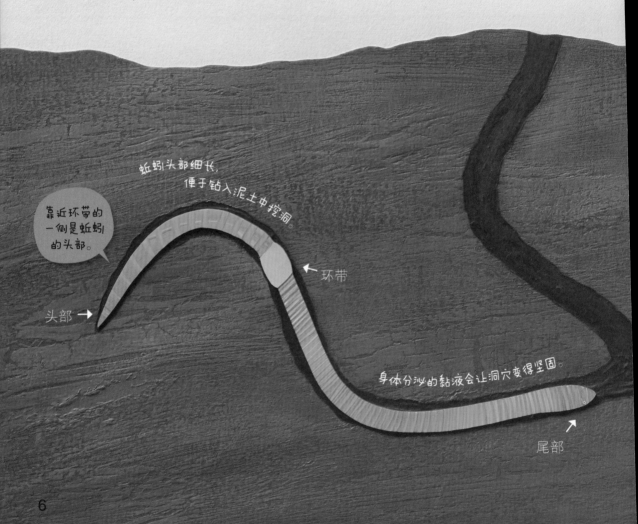

靠近环带的一侧是蚯蚓的头部。

蚯蚓头部细长，便于钻入泥土中挖洞。

← 环带

头部 →

身体分泌的黏液会让洞穴变得坚固。

尾部

7

你有没有触摸过蚯蚓呢？

你可以用手指轻轻摸一下蚯蚓，不过立刻要松开哦！因为蚯蚓觉得人的手太烫了。

①往前移动的时候，蚯蚓的头部各节舒张开来。

啊，好烫！
别用手碰我！

蚯蚓的身体摸起来滑溜溜、湿漉漉的。
因为它的身体会不停地分泌出非常特别的黏液。
只有身体保持湿润，
蚯蚓才能确保自己的皮肤呼吸通畅，行动自如。
所以要当心，可别让蚯蚓在太阳下暴晒哦。

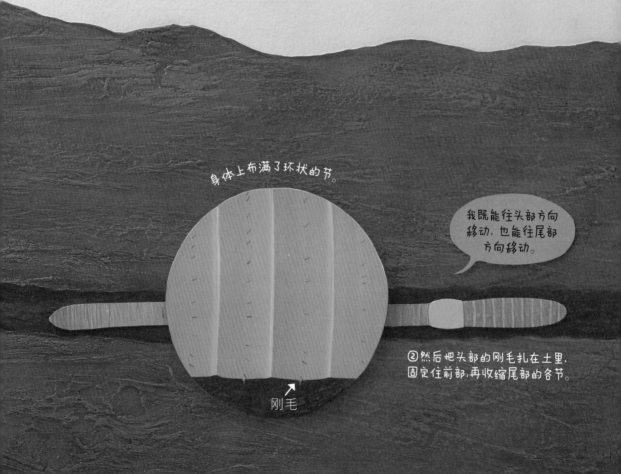

身体上布满了环状的节。

我既能往头部方向移动，也能往尾部方向移动。

②然后把头部的刚毛扎在土里，固定住前部，再收缩尾部的各节。

刚毛

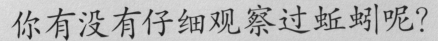

你有没有仔细观察过蚯蚓呢?

蚯蚓既没有眼睛,也没有鼻子和耳朵。
不过这并不影响它的日常生活,
它能通过皮肤闻到气味,感觉到光线的明暗。
敌人靠近的时候,它也能通过皮肤敏锐地察觉到。

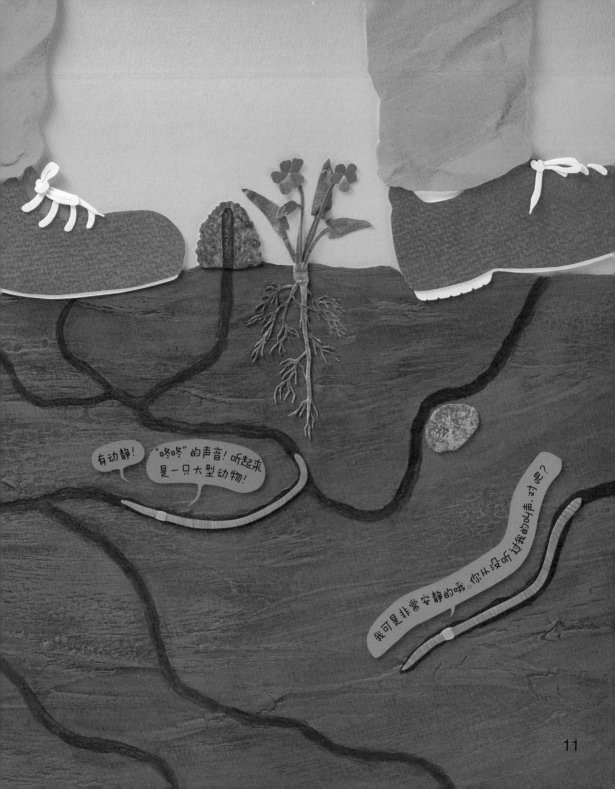

11

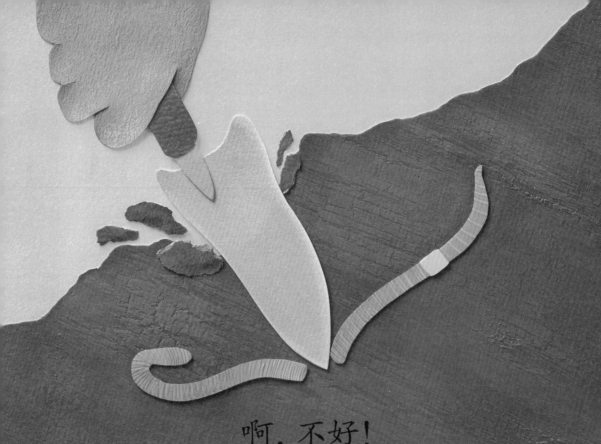

啊，不好！

糟糕，蚯蚓被切成两段了！
还好，它不会马上死去。
更神奇的是，有些蚯蚓有很强的生命力，
如果被切断的位置合适，在良好的生长环境下，
被切成两段的一条蚯蚓，有可能会变成两条活的蚯蚓！
所以，如果你看到受伤的蚯蚓，
要想办法把它放回泥土里哦。

几天以后，伤口愈合，断开的部位变得粗短。

断开的部位会长出瘤状的新肉来，然后慢慢变长。

肛门

我的另一半，你好！幸好我们都活下来了。

← 嘴巴

过了 80 天左右，两条蚯蚓都变成长着嘴巴和肛门的完整的蚯蚓了。

你好！

是啊，上次差点就没命了。

到了漆黑的夜晚，
蚯蚓就会钻出地面，寻找食物。
只要是腐烂的东西，它都爱吃。
无论是落叶还是枯草，蚯蚓都吃得津津有味！
当然，它最爱吃的还是甜甜的果实！

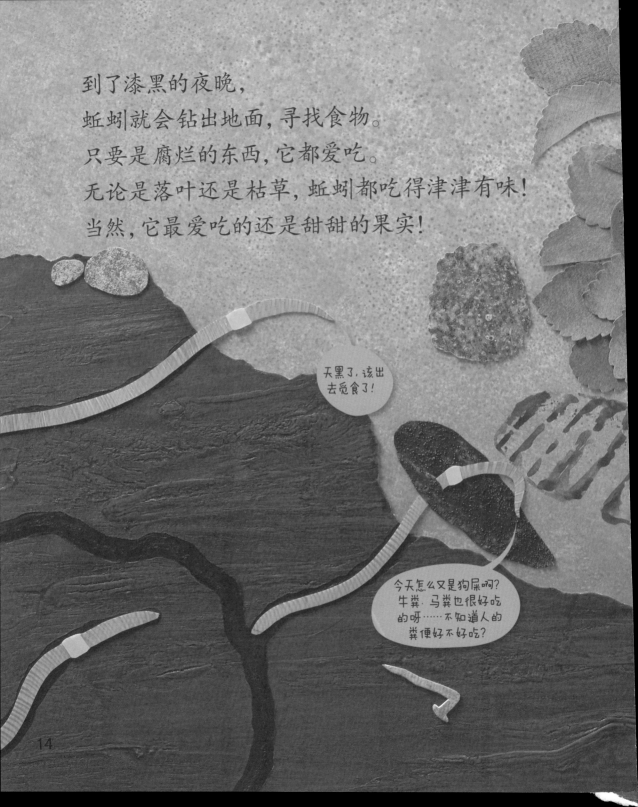

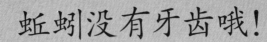

蚯蚓没有牙齿哦！

嘴巴

我的力气很大哦！
我能把超过自己
体重 25 倍的东西
举起来呢。

嗉囊

食物

泥土颗粒

砂囊蠕动的时候，泥土颗粒会把食物磨碎。

砂囊

蚯蚓吃东西的时候，会把泥土也一起吞下去。
这些泥土颗粒会像牙齿一样把食物磨碎。
蚯蚓的胃口很大，排泄的粪便也很多。
它一天能吃下跟自己体重不相上下的食物，
排出一半重量的粪便。
如果你是蚯蚓的话，相当于每天能吃一百碗饭！

在食物通过身体的过程中，营养成分会被充分吸收。

未被吸收的食物残渣，则会与泥土一起被排出体外。

试着踩踩你脚下的土地。
如果很松软的话，说明这里可能生活着很多蚯蚓。
正因为蚯蚓挖了很多洞，所以才使土地变得松软，
空气通畅，水分也能很好地渗透进去。
这样的土地更适合植物的生长。

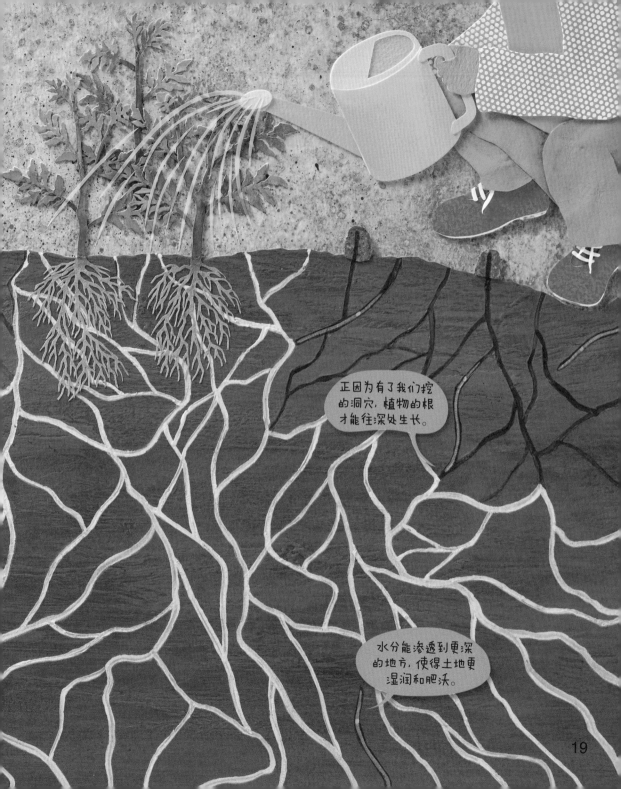

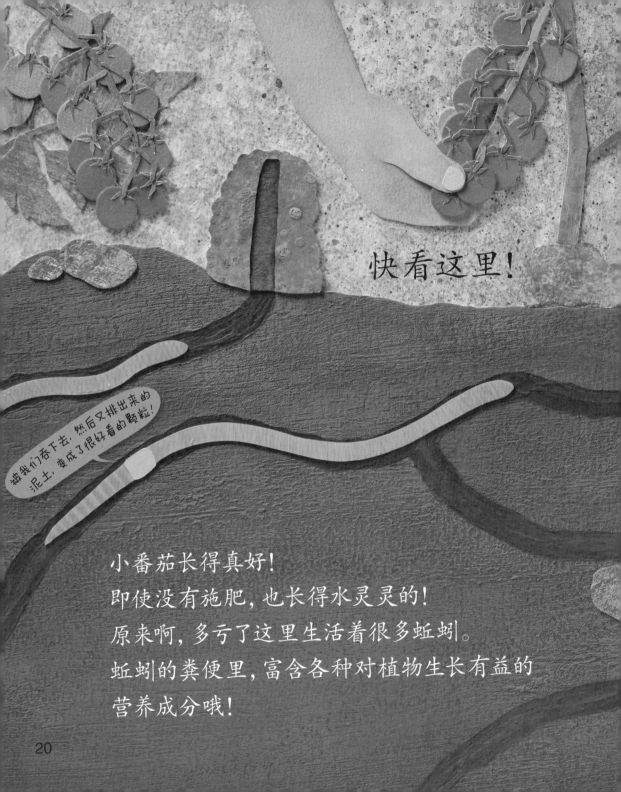

快看这里!

被我们吞下去, 然后又排出来的泥土, 变成了很好看的颗粒!

小番茄长得真好!
即使没有施肥, 也长得水灵灵的!
原来啊, 多亏了这里生活着很多蚯蚓。
蚯蚓的粪便里, 富含各种对植物生长有益的
营养成分哦!

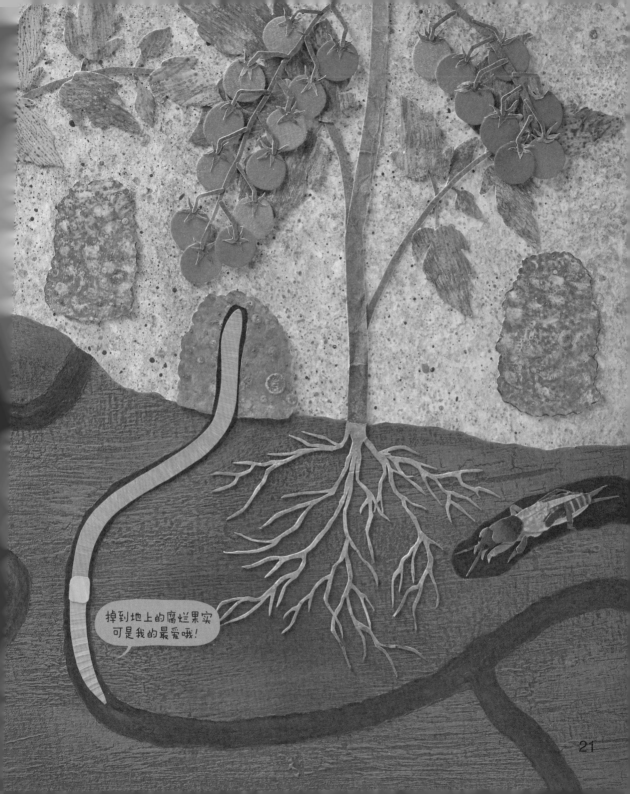

蚯蚓住在地下。
它的粪便可以帮助植物茁壮成长，
成熟的植物又可以供动物和人类食用。
此外，蚯蚓是鸟类和其他小动物都爱吃的美味佳肴。
就这样，蚯蚓与地上的生物有了密不可分的联系。

在地面上被太阳晒死的蚯蚓成了蚂蚁的食物。

蟋蟀以蚯蚓卵为食。

鼩鼱一天能吃10条蚯蚓。

以蚯蚓为食的蟾蜍和鼩鼱也去冬眠了。

冬天到了，大地被冻得硬邦邦。
蚯蚓怎么度过冬天呢？
它们会往深处没有冻结的泥土里钻。
它们会聚集成一团，一起冬眠。

24

①一条蚯蚓把自己的环带贴到另一条蚯蚓的头部，然后进行交配.

春天来了，蚯蚓开始交配生宝宝了。

到底哪条是蚯蚓爸爸，哪条是蚯蚓妈妈呀？

其实呀，蚯蚓是爸爸妈妈不分的。

如果要生宝宝，一条蚯蚓必须与另一条亲密交配。

随后，两条蚯蚓会各自生下宝宝。

②环带里充满了蚯蚓的卵，
所以环带会逐渐变大。

等到环带重新长出来以后，
蚯蚓又可以交配了。

③变成卵囊后，环带就会从蚯蚓的头部脱落。

两到三个月以后，小蚯蚓就会
长大，身体上也会出现环带。

④ 小蚯蚓从卵囊里钻了出来。
1个卵囊里会钻出 1～10 条小蚯蚓。

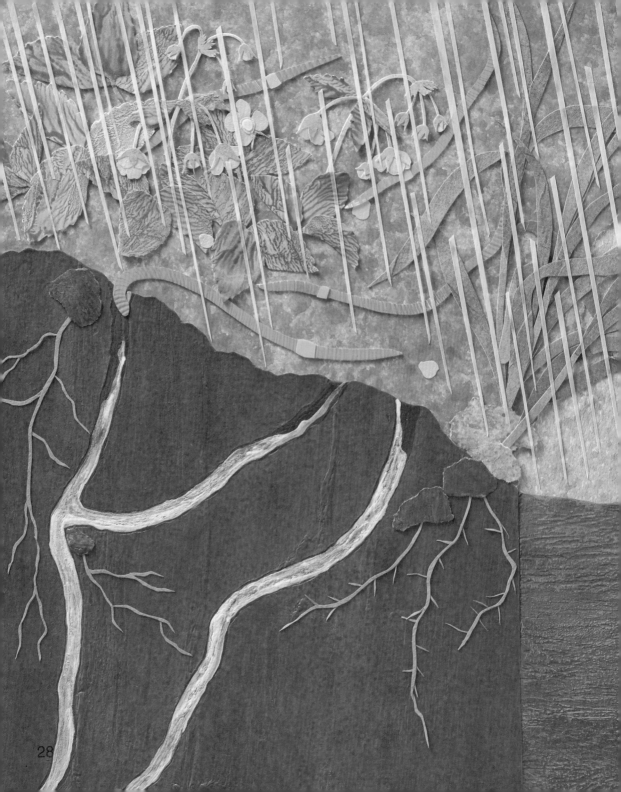

下雨时，蚯蚓会从泥土里钻出来。
因为洞穴里充满了雨水，为了呼吸空气，
它们必须钻出地面。
等雨水渗到深处，蚯蚓会重新钻回地下。
但是，爬到水泥地上的蚯蚓就很难回去了。
这时候，我们能不能帮一下忙呢？